ISABELLE BOCHOT

J'apprends
à peindre
les couleurs

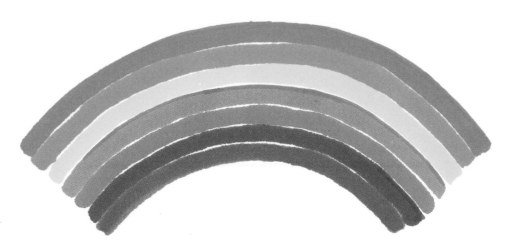

FLEURUS
IDÉES

Editions Fleurus, 11, rue Duguay-Trouin 75006 Paris

La ronde des couleurs

Tu vis dans un monde de toutes les couleurs. Sais-tu que ces couleurs ont une influence sur notre humeur, qu'elles peuvent nous rendre gais ou tristes, calmes ou excités?

On dit de certaines couleurs qu'elles sont « chaudes », par exemple le jaune et le rouge, parce qu'en les regardant, tu as une impression de chaleur, de gaieté. D'autres sont « froides », comme le bleu, le vert : elles donnent une impression de profondeur, de calme, de froid.

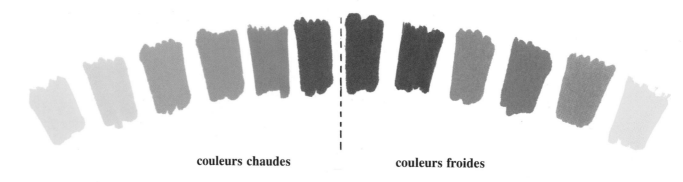

couleurs chaudes   couleurs froides

Les trois couleurs principales sont le bleu, le jaune et le rouge.
On les appelle les couleurs primaires. A partir de ces trois couleurs, tu peux obtenir toutes les autres.

Pour faire tes mélanges, choisis dans ta boîte de peinture le bleu primaire ou cyan, le jaune primaire et le rouge primaire ou magenta. Tu auras des couleurs plus belles. Pour t'aider, tu trouveras pages 20-21 un tableau des mélanges de base.

Le bleu

Le bleu est la couleur du ciel, de la mer, de l'espace.
Cette couleur a un effet calmant, reposant.
C'est une couleur froide.

Découvre les noms de six bleus différents :

bleu des mers du sud

bleu nuit

bleu turquoise

bleu ardoise

bleu layette

bleu France

PETITE HISTOIRE DES COULEURS

Pour les reconnaître, on a donné aux différentes couleurs le nom de plantes (bleu jacinthe, rouge tomate), d'animaux (gris souris, rose crevette), de pierres (bleu turquoise, noir charbon) et même de pays (bleu de Prusse, jaune du Japon).

Le jaune

Le jaune est la couleur du soleil, donc de la lumière.
C'est une couleur chaude, gaie, tonique qui chasse la tristesse.
Certains jaunes sont si brillants qu'ils ressemblent à de l'or.
Si tu as les cheveux de cette couleur, on dit qu'ils sont blonds.
On dit même « blonds comme les blés ».

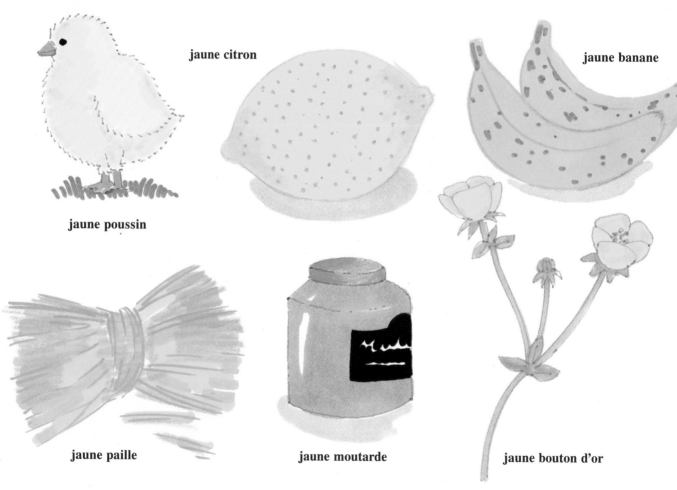

jaune citron

jaune banane

jaune poussin

jaune paille

jaune moutarde

jaune bouton d'or

PETITE HISTOIRE DES COULEURS

Les couleurs se retrouvent dans beaucoup d'expressions que tu connais sûrement : rouge comme une tomate, vert de peur, bleu de froid, voir la vie en rose, être fleur bleue, blanc comme un linge, avoir des idées noires…

6

Le rouge

Le rouge est une couleur violente, dynamique, joyeuse.
C'est la couleur de la passion, du coeur.
C'est une couleur chaude.

rouge coquelicot

rouge cerise

rouge tomate

rouge Bordeaux

Le rouge se voit de très loin et signale le danger ou l'interdit.
Sur la route, feu rouge = arrêt absolu des véhicules. Panneaux
rouges = danger ou interdiction. Au bord de la mer,
drapeau rouge = baignade interdite. C'est la couleur
du matériel d'incendie, du signal d'alarme.

baignade
interdite

feu rouge

panneau
sens interdit

panneau danger

camion de pompiers

Le vert

Le vert est une couleur froide, apaisante. C'est la couleur des plantes, de l'herbe;
elle donne un effet de fraîcheur. On peut obtenir différents verts en variant
la quantité de bleu et de jaune. Selon ton mélange, le vert ira plutôt vers le bleu
(on dit bleu-vert) ou vers le jaune (on dit vert-jaune).

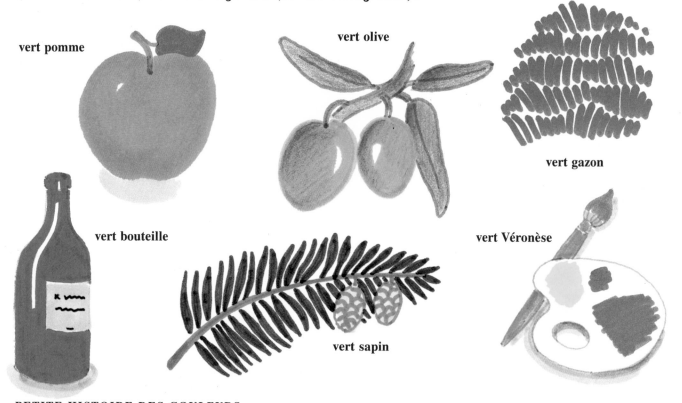

vert pomme

vert olive

vert gazon

vert bouteille

vert Véronèse

vert sapin

PETITE HISTOIRE DES COULEURS

Certains grands peintres ont donné leur nom à une couleur qu'ils ont inventée: ainsi
on parle de vert Véronèse (peintre italien), de brun Van Dyck (peintre flamand), de bleu
Vermeer (peintre hollandais).

L'orange

L'orange est la couleur du feu, de l'énergie. C'est une couleur chaude, gaie et stimulante, par exemple pour l'appétit. Pour les cheveux, les feuilles d'automne, les chats de cette couleur, on dira qu'ils sont « roux ».

carotte

mandarine

roux

abricot

feuille-morte

capucine

PETITE HISTOIRE DES COULEURS

Les couleurs ont parfois pris le nom d'épices (jaune safran, rouge paprika), de fleuves (vert Nil) et de matériaux (couleur sable, rouge brique).

Le violet

Le violet est la couleur du mystère, de la rêverie. Les personnes âgées portent souvent cette couleur. Pour certains c'est une couleur douce, pour d'autres elle est mélancolique. Et toi aimes-tu cette couleur?

violet
(comme la violette)

lilas

aubergine

lavande

prune

Les fruits de l'automne sont violets foncés, presque noirs: raisin noir, figues, prunes, mûres, cassis et myrtilles. Certains violets « tirent » vers le rouge, et d'autres vers le bleu.

Le marron ou le brun

Le marron est une couleur compacte, solide. C'est une couleur chaude, car elle contient du rouge et du jaune. Les bruns très clairs s'appellent grège, crème, écru, beige, sable, coquille d'œuf, caramel.

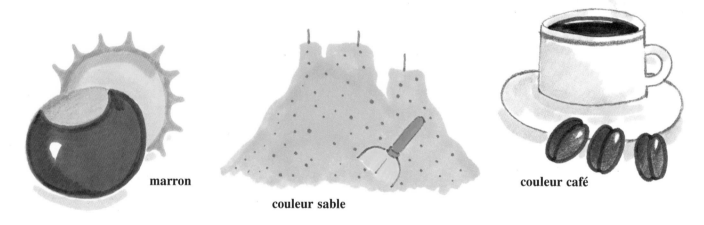

marron

couleur sable

couleur café

terre d'ombre

caramel

PETITE HISTOIRE DES COULEURS

Le marron, couleur de la terre, peut s'appeler « terre-de-Sienne » ou « terre d'ombre ». Les différents marrons portent le nom d'épices (cannelle, tabac), de bois (acajou) ou d'animaux (castor, chamois).

Le noir, le blanc, le gris

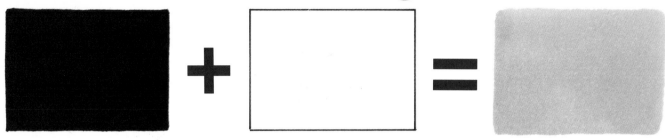

Tu ne peux fabriquer ni le noir ni le blanc. Ce sont des couleurs à part. En Europe, le noir est la couleur du deuil, de la tristesse. Le blanc représente la pureté, l'éclat, le gris exprime la monotonie.

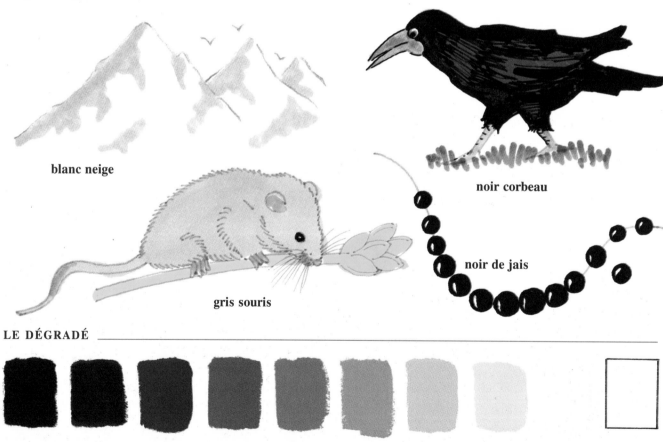

blanc neige

noir corbeau

gris souris

noir de jais

LE DÉGRADÉ

Le noir est la couleur la plus foncée, le blanc la plus claire. Entre le noir et le blanc, il y a tous les gris. Pars du noir, ajoute petit à petit du blanc, tu vas arriver à du blanc pur : c'est ce que l'on appelle un dégradé. Tu peux faire la même chose avec d'autres couleurs.

La palette des mélanges

Ce tableau te montre quelques mélanges de base.

Si tu ajoutes du blanc à une couleur, elle s'éclaircit.
Au contraire si tu ajoutes du noir, la couleur devient plus foncée.
Crée tes couleurs et amuse-toi à faire des milliers de mélanges.

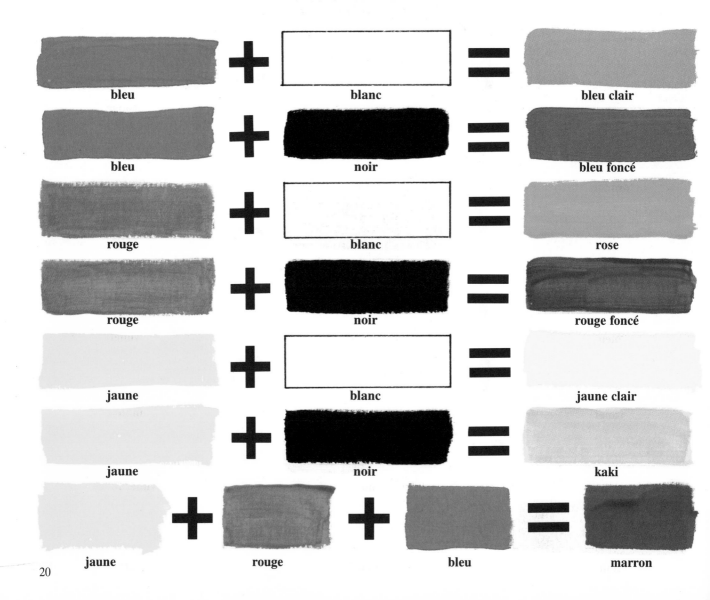

bleu	+	blanc	=	bleu clair
bleu	+	noir	=	bleu foncé
rouge	+	blanc	=	rose
rouge	+	noir	=	rouge foncé
jaune	+	blanc	=	jaune clair
jaune	+	noir	=	kaki
jaune	+ rouge +	bleu	=	marron

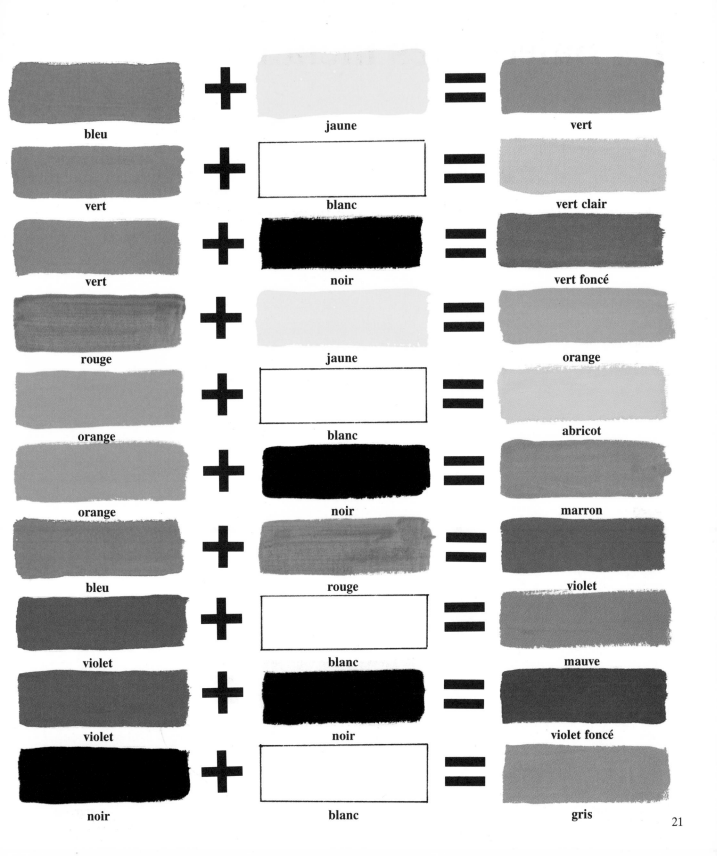

bleu	+	jaune	=	vert
vert	+	blanc	=	vert clair
vert	+	noir	=	vert foncé
rouge	+	jaune	=	orange
orange	+	blanc	=	abricot
orange	+	noir	=	marron
bleu	+	rouge	=	violet
violet	+	blanc	=	mauve
violet	+	noir	=	violet foncé
noir	+	blanc	=	gris

21

La lumière est magique

C'est la nuit. Tout est noir. Le ciel n'est plus bleu, les arbres ne sont plus verts, les fleurs ne sont plus rouges. Les couleurs ont disparu avec le soleil.

C'est grâce à la lumière que les couleurs existent. Le soleil est jaune, il t'éblouit. Mais si tu pouvais le regarder de très près, tu verrais qu'il contient sept couleurs, sept rayons lumineux qui sont les sept couleurs de l'arc-en-ciel: violet, indigo, bleu, vert, jaune, orange et rouge.

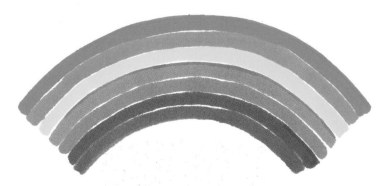

Pourquoi vois-tu une pomme **rouge**, une feuille **verte**, le ciel **bleu**? La lumière touche un objet avec ses sept rayons lumineux: cet objet en renvoie un ou plusieurs (le rouge, le vert, le bleu etc.) et absorbe les autres qui deviennent invisibles.

La pomme n'en renvoie qu'un seul: le rouge.

Les rayons touchent la pomme.

Autour de toi, tout change de couleur avec la lumière.

Le même paysage se transforme, du lever au coucher du soleil.

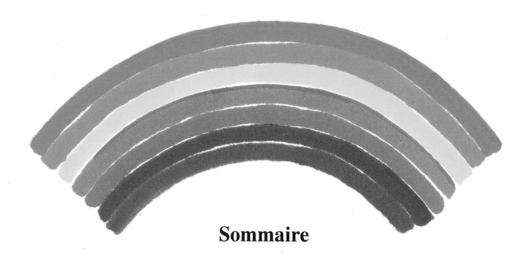

Sommaire

© 1994 Éditions Fleurus, Paris. Dépôt légal : mai 1995 ISBN 2-215-02008-3
Imprimé par Casterman s.a., Belgique. 4e édition - Janvier 1998